LECTURES **ELI** POUSSINS

 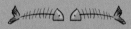

Jane Cadwallader

Mamie Pétronille
et le pirate

Illustrations de Gustavo Mazali

UNE HISTOIRE D'AVENTURES

2 Aurélie et Ahmed sont en classe. Le maître, Monsieur Leroy, demande aux enfants d'écrire une histoire d'aventures.
Ils peuvent écrire l'histoire avec un camarade.

Ahmed et Aurélie vont à la bibliothèque.

Mais qui marche derrière les enfants ? Oh !
C'est mamie Pétronille !

La dame indique les livres d'aventures.
Mamie Pétronille est là.
Elle met la main dans son petit sac jaune.
Qu'est-ce qu'il y a dedans ? Oh, il y a un gros
livre jaune ! Un gros livre d'aventures !
Elle met le livre sur l'étagère.

Les enfants ouvrent le gros livre jaune et...
Oh ! La mer !! Et un bateau de pirates !!
Et un PIRATE !

Le pirate est petit, il a les cheveux noirs et un gros
nez. Il est triste.

cognates

Mamie Pétronille veut aider le pirate Brigantin.

Elle met sa main dans son petit sac jaune.

Qu'est-ce qu'il y a dedans ? Oh, il y a un perroquet !

Mamie Pétronille dit
quelque chose au
perroquet.

9

Le pirate Brigantin et les enfants
voient le perroquet.
Le perroquet indique une île.

Le pirate Brigantin va sur l'île avec Ahmed
et Aurélie pour chercher un trésor.
Mamie Pétronille s'assoit sur la chaise du pirate
Brigantin et fabrique un chapeau de pirate.

Mamie Pétronille s'endort.

Oh non ! Son petit sac jaune est ouvert !

Regarde les perroquets !

1 2 3 4 5 6 7 8 9 10 11 **12** perroquets !

3 Regarde les perroquets !
Roses, bleus, verts
Gris et violets

Un perroquet sur l'armoire
Et un autre sur la chaise.

4 Mamie se réveille et voit tous les perroquets.

Elle ferme son petit sac jaune et cherche les
perroquets dans la chambre. Elle regarde sous
le lit et sur l'armoire mais elle ne les trouve pas.

Où sont les
perroquets ?

Mamie Pétronille regarde dans la salle à manger.
Elle regarde sous la table, sur le divan, sous le divan
et derrière les livres qui sont sur l'étagère
mais elle ne trouve pas les perroquets !

6 Mamie Pétronille regarde dans la cuisine mais elle ne trouve pas les perroquets.

Il s'envolent par la fenêtre !

Ahmed, Aurélie et le pirate Brigantin sont tristes.
Il n'y a pas de trésor sur l'île !

Il n'y a pas de trésor ici !

Soudain, ils voient les perroquets. 12 perroquets ! Non ! 13, 14, 15, 16, 17, 18, 19, 20 perroquets !!

7 Look the parrots
Regarde les perroquets !
Whites, blues, blacks
Blancs, bleus, noirs
yellow pink and green.
Jaunes, roses et verts

Un perroquet par ici
Et un perroquet par là.

8 Le pirate Brigantin et les enfants reviennent.
Et les perroquets aussi reviennent !
Ils sont tous très contents.

Mamie Pétronille a son gros livre d'aventures jaune.
Que fait-elle ?

Maintenant Ahmed et Aurélie sont de nouveau à la bibliothèque.

Soudain un perroquet vole dans la pièce.
Le perroquet a une lettre dans son bec !

Jouons ensemble !

1 **Écris les mots et barre les dessins qui ne sont pas dans l'histoire.**

le ~~coffre~~   le ballon   le sac   le livre
le perroquet
le chapeau   l'île   le poisson

1   *le coffre*

2   _____

3   _____

4   _____

5   _____

6   _____

7   _____

8   _____

2 Trouve les mots et complète la comptine.

perroquets

🎵 Regarde les perroquets !
_____, bleus, verts
Gris et _____ .

🎵 Un perroquet sur l' _____ .
Et un autre sur la _____ .

3 Encercle le mot correct.

1 Le livre d'aventures est bleu / (jaune)

2 Le pirate est grand / petit.

3 Le pirate veut un perroquet / un chat.

4 Mamie Pétronille cherche les perroquets / le trésor.

5 Le pirate s'appelle Brogantin / Brigantin.

placard

bateau

chaise

lit

étagère

chapeau

fenêtre

divan

5 Trouve les mots et complète les phrases.

	1	2	3	4	5
A	s'envolent	chaise	Ahmed	pirate	Mamie
B	cuisine	fenêtre	jaune	regarde	perroquets
C	Pétronille	content	sous	Aurélie	sac

1 _____ et _____ sont dans la _____ .
(A3)   (C4)   (B1)

2 _____ _____ a un _____ _____ .
(A5)   (C1)   (C5)   (B3)

3 Le _____ n'est pas _____ .
(A4)   (C2)

4 Les _____ _____ par la _____ .
(B5)   (A1)   (B2)

5 _____ _____ _____ _____
(A5)   (C1)   (B4)   (C3)

la _____ .
(A2)

6 **Lis et dessine.**

L'ÎLE AUX PERROQUETS

Il y a un pirate.   Il y a 5 perroquets.
Il y a un arbre.   Il y a un coffre au trésor.
Il y a un bateau.

7 **Aimes-tu cette histoire ? Dessine ton visage.**

 = J'aime beaucoup cette histoire

 = J'aime cette histoire.

 = J'aime un peu cette histoire.

 = Je n'aime pas cette histoire.